SYLVAIN RIVIERE
JACTANCE /
PALAVRAGEALA

Nous remercions le Conseil des Arts du Canada de l'aide accordée à notre programme de publication.

Illustration de la couverture : *Danse éternelle*, huile sur toile, Donald Leblanc, 2000

CANADA
Humanitas
990 Picard, Longueuil (Brossard), Québec J4W 1S5
Téléphone/Télécopieur: (450) 466-9737
humanitas@cyberglobe.net
ISBN 2-89396-234-3

ROUMANIE
Libra®
Avram Iancu N⁰ 6, Bucuresti Sector 2
Téléphone/Télécopieur: 01-315-0534
office-libra@itcnet.ro
ISBN 973-8327-17-2

Dépôt légal – 2ᵉ trimestre 2002

Imprimé au Canada

Sylvain Rivière

Jactance /
Pălăvrăgeală

(Poèmes choisis / Poeme alese)

Versions roumaines de

Andrei Stoiciu, Irina Petraş, Daniela Sârbu

HUMANITAS/Libra

Du même auteur chez le même éditeur

L'œuf à deux jaunes, théâtre, 1990
Une langue de côte, théâtre, 1991, réédition 1995
Quand l'œil se plaît, la fesse se place, monologue, 1992
Le pays dégolfé, théâtre, 1992
Le pays de chair-âme, poèmes/illustrations, Sylvain
Rivière/Marcel Gagnon, 1992
Cœur de maquereau, théâtre, 1993
L'Epopée des ramées, saga musicale, 1993
Statornicie/Persistance, poèmes, Humanitas/Libra (Roumanie),
1994
Les chairs tremblantes, théâtre, 1994
Qu'a bu, boira..., théâtre, 1995
La belle embarquée, roman, Humanitas/Libra (Roumanie), 1996
La mer porteuse, théâtre, 1996
L'âge des marées, théâtre, 1997
Lieux-dits/Locuri anume, poèmes, Humanitas/Libra (Roumanie),
1997
Chanter sans avoir l'air, poèmes, 1998
Le limon des origines, théâtre, 2000
Partage des eaux, partage des mots, théâtre, Sylvain Rivière/
Françoise Bujold, 2000
Par l'œil du dire..., récits, 2001

Un poète en marge des modes

Au Québec, c'est dans la poésie écrite, plus que dans la prose, que se dévoile le drame essentiel d'une langue, de surcroît française, en liaison avec un passé bien jeune et un avenir incertain.

Devenue plus éclectique dans les années 80 et 90, la poésie québécoise a perdu en bonne mesure son pouvoir de subversion d'autrefois. Mais les poètes lyriques sont de retour, inspirés par un quotidien moins violent, par la recherche intérieure et par la défense de leur peuple, de leur langue et d'un pays à bâtir.

Sylvain Rivière fait partie de ces poètes engagés qui ont choisi de se confronter à un futur encore aujourd'hui hypothétique.

Né à Carleton, en Gaspésie, en 1955, Sylvain Rivière habite aux Îles-de-la-Madeleine depuis 1981. En marge de l'académisme et des modes, il a chanté – dans plus d'une quarantaine d'ouvrages – la beauté, l'authenticité et les saisons, aussi bien celles du paysage que celles de l'âme.

Son écriture imaginative, imprégnée de l'odeur de la mer, son délire linguistique où abondent formules vieillottes ou fantaisistes, périphrases et énumérations, sa sagesse de jeune homme captif de ses rêves sont le reflet parfait de ses origines. Il sait écouter, regarder, comprendre et coucher sur papier la musique aussi insaisisable qu'intarrissable des siens.

Les poèmes regroupés dans ce recueil bilingue ont été choisis des volumes *Poèmes* (Guérin littérature, 1993), *Persistance / Statornicie* (Humanitas-Libra, 1997), *Lieux-dits / Locuri anume* (Libra-Humanitas, 1997) et *Migrance* (Éditions Trois Pistoles, 1998). Les versions roumaines sont signées par Andrei Stoiciu, Irina Petras et Daniela Sârbu.

Un poet în afara modelor

În poezia scrisă în provincia canadiană Québec, mult mai mult decât în proză, se dezvăluie drama esentială a unei limbi – în ocurență franceza – legată de un trecut sărac şi de un viitor nesigur.

Devenită eclectică în anii 80 şi 90, poezia din Québec a pierdut în mare parte puterea ei de subversiune de altădată. Dar poeții lirici reapar, inspirați de un cotidian mai puțin violent, de căutări interioare şi de apărarea poporului căruia îi aparțin şi a țării ce va trebui construită.

Sylvain Rivière face parte dintre aceşti poeți angajați, care au ales să se confrunte cu un viitor încă şi azi ipotetic.

Născut la Carleton, în Gaspésie, în 1955, Sylvain Rivière locuieşte din 1981 în Îles-de-la-Madeleine. În afara academismului şi a modelor, el a cântat în peste patruzeci de cărți frumusețea, autenticitatea şi anotimpurile, deopotrivă ale peisajului şi ale sufletului.

Scrisul lui imaginativ, impregnant de aromele mării, delirul lui lingvistic în care abundă formule îmbătrânite sau fanteziste, perifraze şi enumerări nesfârşite, înțelepciunea lui de bărbat tânăr captiv al visurilor sale sunt oglinda perfectă al unei origini niciodată trădată. El ştie să asculte, să privească, să înțeleagă şi să culce pe hârtie muzica insesizabilă şi nesecată a celor cărora le aparține.

Poemele grupate în această culegere bilingvă au fost alese din volumele *Poèmes* (Guérin littérature, 1993), *Persistance / Statornicie* (Humanitas-Libra, 1997), Lieux-dits (Libra-Humanitas, 1997) et *Migrance* (Éditions Trois Pistoles, 1998). Versiunile româneşti sunt semnate de Andrei Stoiciu, Irina Petraş şi Daniela Sârbu.

Né d'un ruisseau
Dérivant vers la mer
Sur le chemin des migrances
Je parle la langue d'eau
Depuis l'embouchure des fleuves
Jusqu'aux arcs insulaires
Buveurs de sels iodés
De gemme de gypse
À même les colonnes d'eau
Du Cap au Trou
D'instinct le sable
Le grès rouge l'argile
Des bras de mer ouverts
Aux frontaliers horizons
Menant aux sédiments rocheux
Volcanique mémoire
Andromaque saumure
Les buttes avinées d'écume
Voisinant la Belle-Anse
L'âme boréale mouillée
À oûesse du Corps-Mort
Les champs ensemencés
D'herbe à outardes
De la Dune du sud
À la grande échouerie
Le soleil de midi
Réchauffant les battures
Jouant de la cuisse en plein jour
L'équinoxe l'émergence
Loin sur les eaux atlantiques
L'aurore astrale hivernant
L'entre-chien et loup
La langue de sable
Aiguisant le langage
D'échoueries planétaires
Le matou venteux
L'eau-de-vie

Le vieux barbu boitillant
Sur les sentiers poudreux
De vous dire
Depuis les entrailles de la terre
Des sépultures du diable
Dépassé l'identitaire littoral
Où la terre et le large confondent
Le rite séculaire
De l'ovulation aride
De mes plus petites enfances…

Născut dintr-un pârâu
Ce curge către mare
Pe calea pribegiei
Vorbesc limba apelor
De la gura fluviilor
Până la arcurile insulare
Băutori de săruri iodate
De nestemate de ghips
Răsucité pe coloane de apă
De la Cap la Trou
Din simţul nisipului
Gresia roşie argila
Braţele mării deschise
Spre frontiera orizonturilor
Călăuzind drumuri stâncoase
Memoria vulcanică
Adromaca saramură
Denivelări înmuiate de spumă
În apropiere de Belle-Anse
Sufletul boreal umezit
La vest de Corps-Mort
Câmpiile însămânţate

De iarba dropiei
De la duna sudului
La marea eşuare
Soarele amiezii
Reâncălzind navele
Jucându-se pe coapsă în plină zi
Echinoxul ţâşneşte
Departe pe apele atlantice
Aurora astrală iernănd
Între două geruri cumplite
Limba de nisip
Ascuţind limbajul
De eşuări planetare
Cotoiul bântuit de vânturi
Apa vieţii
Bătrânul barbă şchiopătând
Pe cărările prăfuite
Pe cărările prăfuite
Să vă spun
Începând din măruntaiele pământului
Mormintele dracului
Depăşit de litoralul indentitar
Unde pământul şi largul cufundă
Ritul secular
De ovulaţie aridă
A celor mai mici dintre pruncii mei…

Je garde en mémoire
La durance parcheminée
Des dégels de pierre
Aux naseaux piaffant
La lumière d'ocre pure
Ère glacière
Caverneuse entêtée
L'esbroufe contagieuse
Des fougères fossilisées
D'impatience gourmandée
Les chemins du limon
Échouant l'arrivance
Des croyances émotionnées
Les frimassures imbibées
Des sédentaires saisons
L'aube placentaire
Poussiéreuse d'étoiles filantes
Carnassières édentées
Les constellations gémellaires
Renfrognées de clarté
De nageoires de branchies
De mutine itinérance
Bouffie et téméraire
Les météorites veuves
De la Terre de Feu
Rondissant le destin
Bottiné de feutre rosiné
L'âge des sources
Poussiérées de chemins
Menant aux cheveux d'algues
Des nattes enchevêtrées
Buvant d'instinct
Les alizés grégaires…

Păstrez în memorie
Peremitatea pergamentoasă
A dezgheţului pietrelor
A nasurilor rozătoarelor
Lumina de ocru pur
Eră glaciară
Încăpăţânare cavernoasă
Scuipătură contagioasă
Ierburi fosilizate
Nerăbdare pofticioasă
Căile lămâiului
Eşuând devenirea
Credinţe emoţionate
Iernile îmbibate
De sezoane sedentare
Dimineaţa placentară
Prăfuitoare de stele sclipitoare
Tolbe de vânătoare ştirbe
Constelaţiile îngemănate
Încununate de lumina
Înotătorilor de branhii
Îndărădnică rătăcirea
Puhavă şi temerară
Meteoriţii vaduri
Ai Pământului şi ai Focului
Rotunjind destinul
Cu lovituri uşoare
Vârsta izvoarelor
Prăfuieli de drumuri
Călăuzind în plete de alge
Cosite încâlcite
Bând din instinct
Alizeele gregare ...

Sauvagine histoire
Parle-moi tout bas
Du centre de la terre
Du noyau de mon âme
De la chandelle frileuse
Par-devant la lainure
Dévidant l'au-delà
À l'envers à l'endroit
Des siècles de silence
Attisant les disettes
Des planètes repues
D'autant de systèmes solaires
Dis-moi la vérité
Sablier renversé
Tables de loi
Cul par-dessus tête
Bing bang hypothéqué
Sécheresse intérieure
Four crématoire
Le matin des paumes
Abreuvant la raison
La pudeur des trotteuses
Des Babel syndicales
Les yeux crevés
Des coqs de clochers
L'Aiguille de Coton
Reprisant les quatre trous
Des boutons dérisoires
Au brayer défait
D'arroser le territoire …

Istorie sălbatică
Vorbește-mi încet
Din inima pământului
Din străfundul sufletului meu
Din lumânarea pâlpâindă
Prin fața scămoșelii
Descâlcind-o de-acolo
Pe dos pe față
Secole de tăcere
Întărâtând sărăcia
Planete sătule
De-atâtea sisteme solare
Spune-mi adevărul
Clepsidră întoarsă
Opis de legi
Dos deasupra capului
Bing bang ipotetic
Crematoriu
Dimineața palmelor
Adapând rațiunea
Rușinea cailor trăpași
Babeluri sindicale
Ochi crăpați
De cocoșii orologiilor
Ac fleșcăit
Reluând cele patru găuri
Ale nasturilor derizorii
În adgonul stricat
De udat pământurile ...

Immigré de l'intérieur
Feuillage naissance
Brume d'oubli
Puits asséché
Babines cassées de croyance
Neige de mer
Bardeau manquant
Jarnigoine humanité
Trop de voix sourdes
Remontant de moi
D'outre-tombe
Jouissance voilée
Mer bourrasque
Oreille tendue
Séculaire présence
Entêtement frimassure
Sourde colère
Éternité réconciliée
Tisonnée de gomme
Sapinage épinette
La nudité s'entête
À prendre la parole
Corps sans âme
Écho sans voix
Chiffonnant les couchages
Éhontés de la noce
Assoiffée d'effronterie
Entaillant la survivance
Au taillant ébréché
De sur l'empremier ressoudu …

Imigrat din interior
Frunziş primar
Bruma uitării
Fântână secată
Buze crăpate de speranţă
Ninsoare de mare
Şindrilă lipsă
Umanitate desuetă
Prea multe voci surde
Crescând iar din mine
Dincolo de mormânt
Plăcere mascată
Mare vijelie
Ureche ciulită
Prezenţă seculară
Încăpăţânare chiciură
Furie surdă
Eternitate reconciliată
Urzită din înfrântare
Brădet mărăcinos
Goliciunea se încăpăţânează
Să ia cuvântul
Corp fără suflet
Ecou fără voce
Şifonând aşternuturile
Ruşinate ale nunţii
Însetată de insolenţă
Crestând supravieţuirea
Cu târâşul ştirbit
De atâtea tăieturi…

Stomacale dérivance
Suiffure de canicules
Rame l'oiseau-tempête
En des mers du sud
Crevant les nuages
L'oeil en batture
Fuite en avant
Rame godille
Toujours perdre le nord
Battre de l'aile
Jusqu'à la rédemption
Le cou rentré
À l'affût du chasseur
Voilant lumière
L'outarde touchée
Chavire soudain
La mémoire du grain
Migrance assassinée
Désaroutant l'histoire…

Labirint vertical
Năclăbiala de canicule
Vâsla pasăre furtună
În mările sudului
Spărgând norii
Ochiul încercănat
Goană înainte
Vâslă grosolană
Mereu să pierzi nordul
Să bați aerul
Până la mântuire
Gâtul înfundat
La locul de pândă al vânătorului
Ascunzând lumina
Dropia atinsă
Scufundată adesea
Memoria rafalei de vânt
Pribegiei ucisă
Neorânduind istoria …

Mal de terre
L'été fécond
Dévisage l'intériorité
Fouille les tripailles
Des matins charnus
Identité gestation
Tout un pays dans un regard
Asocial instinct
De vie de mort
Individualité
Aller-retour
Désert natal
Balisant l'interdit
En bout de piste
L'humanité piétine
Nu-pieds dans ses bas
Mise bas nidification
Voie placentaire
Fœtus embryon
Quête du monde
Braisée d'écopeaux
Maritime patience
D'horizon entêté
Fendre l'âme
Pousser le cri
Le sel des terres
Paysans de la mer
Ne vous fait point offense
Pas plus que suif d'odeur
Loups marins habillés
De charcois de survie
Sous la lampe tremblante
Des frissons dérobés
La lueur hâte
La chaleur des grands glaciers ...

Dar de pământ
Vara fecundă
Privire fixă în interior
Scormonind mațele
Dimineți cărnoase
Identitate, gestație
O țară întreagă într-o privire
Instinct asocial
De viață de moarte
Individualitate
Dus-întors
Pustiu natal
Balizând zona interzisă
În capătul pistei
Umanitatea strivită
Picioare goale în pătura de jos
Durare de cuib
Drum plancentar
Fetus embrion
Căutarea luminii
Fierbere jăratic
Răbdare marină
De orizont încăpățânat
Să crăpi sufletul
Să ridici țipătul
Sarea pământurilor
Țăranii mărilor
Nu vă jenează
Decât cu duhoarea seului
Lupi de mare îmbrăcați
În carapace de salvare
Sub lampa tremurândă
De frisoane secrete
Raza de lumină frige
Căldura marilor ghețari...

Gibier de misère
Oiseau de paradis
Bec à miel
Ventre creux
Migrateur affamé
D'entre ciel et terre
Le lit défait des vents
Dessine tes chemins
Marées buveuses
Suivies à la trace
Passes migratoires
Montaison saumonée
Hivernance été
Îles anses
Barachois de souvenances
Gibier maigrissant
Exil replis
Échassier au grand corps
Traqué pour ta chair
À canon de fusil
Ton plumage à boëtter
Petite outarde
Canepetière
Bon voilier
Long-cours
Sauvage nature
Canard boiteux
Cancane
Nasille
Fais-toi entendre
Pousse ton cri
À la godille du temps
Réfugié d'espace
De la mer du Nord
Aux quarantièmes rugissantes
De la Méditerranée
À la Pointe-du-Rat

Des terres chagrines
Aux astrales ventaisons
Tant de crevure
De vierges pieuses
De lits d'édredons rougis
De naufragés centenaires
Berger des arbres
Vies antérieures
Tu sais pour t'y vautrer
Les algues célestes
Des côtes du Cotentin
Les germes d'encablure
De l'allée du goémon
Où l'organique mémoire
De ce vieux poisson-loup
Engendre le plancton sanctifié
De la part des anges …

Vânat de mizerie
Pasărea paradisului
Plisc de miere
Burtă goală
Migrator înfometat
Dintre cer şi pământ
Aşternutul învinge vânturi
Şi desencază drumurile
Maree beţive
Neântrerupte dâre
Urme migratoare
Duhnind a peşte
Vară iernoasă
Insule mici golfuri
Amintire îndepărtate
Vânat slăbănog
Exil împachetat

Vânător uriaş cu picioroange
Hăituit pentru carne
Cu arcuri de armă
Penajul tău momeală
Mică dropie
Emblematică
Bun velier
Mult timp
Natură sălbatică
Raţă şchioapă
Cancan
Fonfăit
Aşteaptă
Scoate strigătul tău
Până la cuta timpului
Refugiat din spaţiul
Mării Nordului
La dracu'n praznic
De la Mediterana
Până la Puntea şobolanului
Pământuri amărâte
Cu astrale vântoase
Atâta epuizare
Fecioare pioase
Paturi înroşite de puf
De naufragiaţi centenari
Păstor de arbori
Vieţi anterioare
Tu ştii să te tăvăleşti acolo
Algele celeste
De pe malul de la Cotentin
Germenii cablului
Din aleea alegelor hrănitoare
Unde memoria organică
A acestui bătrân peşte-lup
Zâmbeşte planctonul sanctifiat
Din partea îngerilor …

Survoler désert marin
Crachin ventaison
Rondeur d'éternité
Grésil immortalité
Moutons défrisés
Broutant mer céleste
Friche planétaire
Fardoche constellations
Luzerne engrangée
Fenil déserté
Langue mordue
Incontinence
Fondre sur un lac
Miroitant d'embellie
À s'en faire la barbe
S'en saisir les pattes
Le porter sur son cœur
De ses ébouriffures
Y plonger la tête
De tout son bec voulant
Pour y cuver les anses
À Valleau avaler
Corsagées d'espérances neuves
Se chausser de quenouilles
Bottes de sept lieues
D'un matin d'odeur
Revenant sur ses pas
Interroger le vent
D'un regard balayé
Aux pans des horizons
Rapailler à la hâte
Le dissident voilier
Aligner le sextant
Plein large
Lesté d'embruns
Fuir par-devant l'aube
Sachant d'instinct

Que l'appétit voyage
Sans jamais mettre la table …

Să zbori deasupra deşertului marin
Împuşcare vântoasă
Rotunjime de eternitate
Grindină măruntă imortalitate
Mioare descreţite
Păscând marea celestă
Ţelină planetară
Constelaţie greoaie
Lucernă însilozată
Fenil deşertat
Limbă muşcată necumpătare
Să te năpusteşti pe un lac
Împodobit scânteietor
Ras proaspăt
Cu mâinile curate
Apăsate pe inimă
Surprinzător
Să plonjezi acolo capul
Cu pliscul său hămesit
Pentru a fermenta ansele
La Valleau înfometatul
Chinuitul de noi aşteptări
Să te încalţe cu coceni
Cizmă de şapte locuri
Dintr-o dimineaţă uimitoare
Reântorcându-se după paşii săi
Întrebând vântul
Cu o privire măturătoare
Ţesălarea orizontului
Zăpăcind în grabă
Velierul disident
Să alinieze sextantul

În plin larg
Îngreunat de ceţuri
Ştergând-o prin faţa revărsatului de zori
Ştiind din instinct
Că pofta rătăceşte
Fără ca niciodată să se pună la masă …

Habiter l'envers du miroir
Comporte des risques
Écailler la beauté
Inviter la laideur
À prendre sa place
Menaçant l'image première
D'imminentes représailles
Statu quo fusion
Redevenir dune de sable
Se faire antimatière
Mandater l'imaginaire
Renverser l'ordre des choses
Migrance tardive
Refus d'assimilation
De sédentarisme
Nomadiser le plumage
Des édredons décoquillés
Faisander le gibier
Des audaces partisanes
Plumer
Gratouiller
Lavocher
À la grande eau
Des nuages vasectomisés
Crever le silence
Franchir le mur du son
Supersonique migrance
Vol plané
Absolue vérité
Son nid dans le cœur
Ponté de brindilles
D'intraveineuses
De coagulants d'antirejet
Racinage en friche
Humus d'écailles décapsulées
On retrouvera l'oiseau volant
Logé dans l'œil d'un fou

Le poisson-loup
Vêtu de trois mentons
Bourgeois repus
Immorouïtes saignantes
En des falaises fossilisées
Riches de trois éternités
Végétariens d'un jour
Cannibales carnassiers
S'en mangeront le fiel
En plein ciel
Acrobatie dow jones
Bourse égossée
Pollution nocturne
Éjaculatoire atterrissage forcé …

Să stai în spatele oglinzii
Comportă riscul
De-a coşcovi frumuseţea
De-a invita la urâţenie
De-a lua locul
Ameninţând imaginea dintâi
De iminente represalii
Statu quo topire
De-a deveni dună de nisip
De-a te face antimaterie
De-a mandata imaginarul
De-a inversa ordinea lucrurilor
Pribegie tardivă
Refuz de asimilare
De sedentarism
De-a normadiza penajul
Plăpumilor de puf
De a marina vânatul
Cu îndrăzneli partizane
De a-l jumuli

Freca
Spăla
Cu multă apă
Nori ciopârţiţi
Linişte spartă
Până la zidul sunetului
Migrare supersonică
Zbor planat
Adevăr absolut
Cuibărit în inimă
Păzit de hăţişuri
Intravenoase
De coagulante contra respingerii
Rădăcini răscolite
Humus de solzi azvârliţi
Pasăre zburătoare regăsită
În ochiul nebunului
Peşte lup
Cu trei bărbii
Burghez îndestulat
Hemoroizi sângerân
Pe faleze fosilizate
Imbogăţite cu trei eternităţi
Vegetarieni de o zi
Canibali feroci
Ce-şi infulecă veninul
În plin cer
Acrobatii *dow jones*
Bursă urlată
Poluare nocturnă
Aterizaj forţat
Ca o eliberare

(Migrance)

Marée haute vent d'en bas
Échouerie de visages
De regards de démesure
Par-delà la mer
Mystère imbuvable
Salaison grivoise
Verbe haut gestuelle païenne
Tangage tango veinage berceau
Tout un pays debout dans un regard
Ton œil d'enfant de trois mille ans
Cherchant à remonter le cours
De sa destinée d'appartenance
Contre-courant ventre creux
Semelles à rebours
Labours cul-terreux
Sans âme ni racine
Monnaie d'échange ou trahison
Nu comme un ver à bœtter
Ver à soie mer à boire
D'une seule et même goulée
Sablier songe vérité
Saumurée de vraisemblance
Maquereau farci
Queue de morue faisandée
Sans rive ni Cartier
Témoin sourd et muet
Aveuglé d'ignorance
Sens en déroute
Pattes d'oie menton fourchu
Ravine des âges
Rides
Fossé des générations
Paysage choisi
Faciès centenaire
Aux allures de carte géographique

Maree spulberând
Mulțimi de chipuri
De priviri holbate
De dincolo de mare
Mister neâncercat
Gustul apei sărate
Verbul se-avântă gesturi păgâne
Tangaj tango nebunie leagăn
O țară întreagă în picioare într-o privire
Ochiul tău de copil de trei mii de ani
Căutând să pătrundă adâncul
Destinul ei
Contra curentului pântec lihnit
Pași ostili
Alături pământ de răsădință
Fără viață și fără rădăcină
Monedă de schimb sau de trădare
Aidoma râmei momeală
Vierme de mătasă mare înghițită
Dintr-o singură gâlgâitură
Nisiparniță gând adevăr
Saramură posibilă
Scrumbie umplută
Coadă de morun fezandată
Fără țărm și fără Cartier
Martor surd și mut
Orbit de ignoranță
Cu simțirea în derută
Labe de gâscă bărbie despicată
Puhoiul vârstelor
Zbârcituri
Prăpastie a generațiilor
Peisaj ales
Centenară înfățișare
Aducând a hartă geografică.

Sachem de la Pointe à Marichite
Mappemonde sexant astrolabe
Piège à suif sur haut-fond
Naviguant à l'estime
De voilures carguées
Comme bêtes de somme
Pliant sous le poids
De son feuillage
Saignant de sève d'errance
D'exil d'histoire
L'écorce à vif
Cœur battant par-dessous
Les temps rebelles assaisonnés d'âge
Hublot ouvert à toutes considérations
Passées présentes ou futureuses
Regard d'outre-tombe déchu
Tache de vin lie de levure
L'horizon te garde haute la tête
Accoudée à l'épaulée de l'aube
Nue sous sa robe
Vert-de-grisante rose-chair
Violacée marinière
Bleu finistère
Comme pour le commencement des temps
Regard insatiable grain de sable
Mélopée ouatée trou d'homme
Combien de marins par le fond
Regard de magnificence
Naïf comme la peinture sait l'être
Au plus fort de sa tourmente
De ses vents d'est
De ses naufrages rédempteurs
Regard lucide d'outre-vie
Puisant lumière
Au flanc des caravelles
Regard de grotte millénaire

Grelottant sous le désir
Regard persistant frondeur

Sef indian din Pointe à Marichitte
Mapamond sextant astrolab
Capcana unei osănde oarecare
Plutind la nimereală
Aidoma unor catâri
Îngenunchiați de povara
frunzelor lor
Sângerând în sevele rătăcirii
Exilului istoriei
Jupuit de viu
Cu inima bătând nebuneşte
Cu tâmpla marcată de vârstă
Fereastra deschisă oricărei împrejurări
Trecute prezente sau viitoare
Privirea tulbure
De vin de urme de drojdie
Îmbrățişează orizontul
Sprijinită pe umărul răsăritului
Goală sub rochie
Verdele cenuşiu roz cărnos
Strai violet
Albastru
Ca la începutul timpurilor
Privire nesățioasă grăunte de nisip
Melopee lină transee pentru bărbați
Câți marinari în străfunduri
Privirea beției buimace
Ceşti pântecoase
Privirea trufiei
Naivă cum pictura ştie să fie
În culmea tulburării sale
Vânturile din est

Naufragiile izbăvitoare
Privirea lucidă de dincolo de viață
Storcând lumina
Din coapsele caravelelor
Privire sălbatecă lacomă
Tremurând de dorință
Privire perseverentă sfidătoare

Fronçant les sourcils des humeurs
À la moindre contrariété
Regard de village fantôme
De pays déserté
De vendeurs de guenilles et de scapulaires
D'huile de serpent et de *whampole*
Vendeurs d'âmes sans queue ni tête
D'armes et de bouches à canon
De larmes et de lampions
Regard ma destinée en friche
Mon limon de ruisseau vert
Garde-moi de moi surtout
De ma délivre de ma dérive
Regard de bête traquée
De chien hurlant à la lune
De louve en chaleur
D'ourson mielleux
Regard mon beau canot d'écorce
Chavirant chaviré
Ma fourrure ma survie
Regard ma trop belle échouerie

Clipind când şi când
La fiecare neplăcere
Priveliştea satului fantomă
A ţării părăsite
Vânzători de boarfe şi de sutane călugăreşti
Ulei de şarpe şi de *whampol*
Vânzători de suflete
De arme şi de guri de tun
De lacrimi şi de lămpi
Priveşte-mi destinul încă neâncercat
De lut de verde pârâu
Păzeşte-mă de mine mai ales
De descătuşarea mea de rătăcirea mea
Privire de animal hăituit
De câine urlând la lună
De lupoaică înfierbântată
De urs mieros
Priveşte-mi barca din scoarţă
Scufundându-se ameninţată
Supravieţuirea mea
Priveşte-mi teribilul eşec

Matines frileuses
Décousues rapiécées
Aube de souches creuses
De mousson d'eau de source
De hublot vert rongeant
La tête d'une rivière
Branchies légendaires
Racines appartenances
Écorce tordeuse
Champignons vlimeux
Feu de forge crépitant
Soufflet réparateur
Références baisers volés
Passion charnue
Lèvres douteuses
Gercées d'attentes
De quatre siècles de braises
Étouffantes étouffées
Non-dit boucaneux
Dévisageant l'imparfait
Innommable beauté
Plénitude déjouguée
Chant du coq poule couveuse
Trois beaux canards
S'en vont baignant
À la recherche du printemps
Sa mère l'oie passant par là
Leur fit bien voir son potentat
Onde de choc
Continuité brodée rapiécée
Flasée désaroutée
Mystère trois dans un
Météorite en route
Ozone découchant
Vibrance et jour de fête

Dimineți răcoroase
Descusute cârpite
Zori trunchiuri scorburoase
Muson apa izvorului
Hublou verde zărind
Apele vreunei râu
Bronhii legendare
Rădăcini apartenențe
Scoarță bătrână
Mușchi de copac
Focul asmuțit al forjei
Foale reparatoare
Referințe sărutări furate
Pasiune pătimașă
Buze șovăind
Uscate de așteptări
Patru scoole de flăcări
Sufocante sufocate
Nemaipomenită larmă
Pecetluind neajunsul
Neasomuită frumusețe
Desăvârșire liberată
Cântecul cocoșului găina clocind
Trei frumușele
Se îndepărtează plutind
În căutarea primăverii
Mama gâscă trecând pe acolo
Arată gâscanului ei
Unde de șoc
Continuitate inventată
Descoperită
Mister trei într-unul
Meteorit
Ozon rătăcitor
Emoționată zi de sărbătoare

Ni vue ni connue
La lune ne compte plus
Depuis longtemps déjà
Marées et naufragés
Naviguant sans compas
En des mers d'éternités
Par trop occupées à échouer
L'invisible
Aux rives jaunies
Des orteils émondés
D'un pommier en dormance
D'entre octobre et avril

Nevăzut necunoscut
Luna nu mai contează
De mult timp deja
Fluxuri şi refluxuri şi naufragii
Navigând fără compas
În mări eterne
Gata oricând a eşua
Invizibilul
Pe maluri îngălbenite
Degete tăiate
Într-un măr somnolând
Între octombrie şi aprilie

Cul de l'an
À la proue d'un galion veuf
Voilure d'orgasme
Cale neigeuse
Ouatance transbordée
De mère en mer
Langage   frisson
Peau de pêche   pomme   poire
Fruitier en dormance
De moi à vous
Sur le chemin des fous
Écorce de pépins faisandée
Bagosse compatissante
Voeux pieux   glaçon vénérable
Cul de l'an sur la paille
Cumulus   blanc manteau
Vent dans les voiles
De berger que l'étoile
Espérance éteinte
Gerçure du bout du monde
Horizon transplanté
Murmure écorché
Charité bien ordonnée
Aumône   bonne conscience
Mains trouées   ventre creux
Soupe   soupane   soupape
Dernier recours
Miettes dérisoires   ventre plein
Sapins désséchés
De toutes les gourmandises
Farcies d'oppressions
De dinde   de codinde   de faux-pardon
Planète agonisante
Singes fous
Ni riz ni rizière

Capătul anului
La prora unui însingurat galion
Arcuire pătimaşă
Cală înzăpezită
Tăcere purtată
De la o mare la alta
Grai   freamăt
Coajă de piersică   cartof   pară
Seva lor somnolentă
De la mine la voi
Pe calea nechibzuinţei
Coajă de sâmburi vechi
Urme de plâns
Urare pioasă   sloi venerabil
Capăt de an în mizerie
Cumulus mantie albă
Vânt în pânzele
Păstorului a cărui stea
A apus
Undeva la capătul lumii
Orizont nestatornic
Murmur sugrumat
Mila bine dozată
Milostenia   conştiinţa împăcată
Mâini zdrelite   pântec supt
Supa   supapă a
Ultimului refugiu
Fărămituri nimicuri   pântec plin
Brazi ofiliţi
Toate poftele
Ghiftuite cu prigoniri
De false iertăciuni
Planetă agonizând
Maimuţe zălude
Nici bon de orez nici orezărie

Ni rive ni rivière
Navires   mires   cartouches   canons
Capables de faire germer l'espoir
Dans les labours d'un œil éteint
Mèche à lampe
Chandelle par les deux bouts
Suif fondant
Des consciences diététiques
Diurétiques   flux et reflux
Boat-peuple   ghetto   Rambo
Rimant avec bobo   pipi   lolo
Mourir debout compatissant
Généreux malgré tout pour l'écran
CNN   Jérusalem   Amen
Cotes d'écoute   bijoute   rajoute
La misère fait voyager son monde
Sur les ondes du libre marché
Satellite bedonnant
Astre dérisoire
Esclavage aéroporté
Sans nulle interférence
Mort en direct
Consolant sa vie suspecte
Aux commandes de ses boutons
Via le monde
Les fesses bien assises
Sur le cul de l'an
Ronflant sa bêtise
Jamais désapprise
Père Noël et Grosse Poche
Ruban   cornemuse
Écosse   écorce
Irlande   guirlande
Soweto sous le manteau
Somalie sans souci
Sarajevo d'or   d'argent   de bronze
Ainsi va le monde

Ronflant de pouvoir   d'arrogance
D'éjaculatoire absence

Nici țărm nici râu
Vapoare   linie de ochire   cartușe   tunuri
Capabile să-nflorească speranța
În ochiul stins
Fitil de lampă
Arzând la amândouă capetele
Seu topit
Conștiințe serbede
Diuretice   flux și reflux
Boat-people   ghetou   Rambo
Rimând cu bobo   pipi   lolo
A muri în picioare compătimit
Umplând fără voie ecranul
CNN   Ierusalim   Amin
Ascultători tot mai numeroși
Mizeria cutreieră lumea
Pe tarabele pieței libere
Precum un satelit burduhănos
Astru lipsit de importanță
Sclavaj aeropurtat
Fără nici o interferență
Moarte în direct
Înșelând suspecta ei viață
La butoanele de comenzi
Trecând prin lume
Bine încoțepenită
La finele anului
Rumegându-și prostia
Niciodată abandonată
Moș Crăciun și Burtă Verde
Panglici   cimpoi
Scoția   scoarță

Irlanda   ghirlandă
Soweto sub palton
Somalia fără griji
Sarajevo de aur   de argint   de bronz
Aşa merge lumea
Icnind de putere   de aroganţă
Absenţă

Temporaire survie
Le cul de l'an
Entre deux chaises
Pliantes d'indigents

Vremelnică supravieţuire
La finele anului
Între două scaune
Cocârjate de griji

Ouatance poudreuse
Vénus farineuse
Poudre d'orage
Matin laineux
Frileuse éternité
Renard de piste
Dentelle d'hivernance
Tout un pays dans la fourrure
À mener vivre loin des pièges
Museau d'instinct
Patience affamée
La danse des loups
Accorde le violon des jours
Par-delà l'équinoxe
En route à des années-lumière
Du givre plein le carquois
L'homme-compas
L'œil en boussole foule de son pas pesant
L'autre côté des choses
Tant de blanc pour un soleil noir
Usé de ne plus y croire
De fraîche par-dessous l'armure
De charpente par-delà le charcois
Banquise et loups-marins
Tout un fleuve en dérive de continent
Accroché aux marées d'ailleurs
De rives vues du large
D'îles à jamais ancrées
Entre rêve et éternité
D'algues   de corps d'arbres
Chatouillant le visage du vent
D'écume barbeuse fleurant la vérité crue
De moutons défrisant l'horizon
De barques lestées de mémoires
Sur les hauts-fonds

Ninsoare blândă
Venus marmoreană
Spuma furtunii
Dimineață înegurată
Zgribulită eternitate
Vulpe adulmecând
Dantela iernii
O țară întreagă înveșmântată în blănuri
Ducându-și viața departe de capcane
Pradă instinctelor
Răbdării înfometate
Dansul lupilor
Ritmează melodia zilelor
Dincolo de echinox
La ani-lumină
De chiciură căzută peste
Omul-compas
Ochiul busolă iscodește pasul lui apăsat
Cealaltă înfățișare a lucrurilor
Prea mult alb pentru un soare negru
Tocit de necredință
De strălucirea amăgitoare a armăturii
De osatura șubrezită
Banchiză și lup de mare
Fluviul străbătând continentul
Pradă mareelor de aiurea
Țărmurilor zărite din larg
Insulelor nicicând ancorate
Între visare și veșnicie
Buretele de pe trunchiul arborilor
Mângâind chipul vântului
Spumă învolburată învăluind adevărul goluț
Oi defrișând orizontul
Bărcile scufundate ale memoriei
În adâncul mărilor

N'avoir d'âge que dans le cœur
D'âme que dans l'ailleurs
D'yeux que pour l'errance
De ventre que pour la peur
D'appartenance que dans la durée
De feuillage que dans l'espoir
De matin dans le regard
Durer   perdurer   persister
Envers et contre tous
Désarouter l'alibi
Naître gueux
Être de ceux
Qui n'ont rien demandé
Se marcher sur le cœur
Jusqu'aux battements premiers
Métronomes ébréchés
Cantate dérisoire
Pour voler à la nuit
Un semblant dérisoire
De frissons défraîchis

Vârstă să ai doar în suflet
Suflet doar în depărtări
Ochi doar pentru rătăciri
Pântec doar pentru frică
Legături doar în timp
Rădăcini doar în speranță
Dimineți doar în priviri
Să durezi   să exiști   să stărui
Împotriva tuturor
Dezarmând tăcerea
Cu lovituri perfide
Să aștepți răbdător
Încercând alibiurile
Să te naști sărac
Să fii din cei
Care n-au cerut nimic
Să-ți calci pe inimă
Bătăile ei
Metronoame învechite
Cântate când și când
Noaptea să zbori
O amăgeală în zeflemea
De frisoane regăsite

(Persistance)

51

En un lieu-dit de ma mémoire
Outre étanche empoussiéré
D'entre rêche et vibrance
Silenciaire musique
Alambiquée de mortes-mers
De foulage de fardoche
De roulis de hauts-fonds
Désertique mélopée
Esquissée d'horizon faisandé
Sous voilure chamarrée
Battant pavillon étranger
Pirates corsaires
Bailles flottantes
Robin des Mers
Emportant dans leurs cales
L'identité déracinée
Des plumages premiers
Des sueurs anciennes
Entaillées de survie
En des mers du bout du monde
Labourant la déserrance
Sale barbe barbe sale
Chanvre domestiqué
Lin fibre mystères emmurés

Într-un loc anume al memoriei mele
Stive uitate de colb
Îndărătnicie volute de aer
Melodie tăcândă
Mirajuri de mări moarte
Hățiş de hățişuri
Vaier pornit din adânc
Melopeea deşerturilor
Orizont macerat
Sub pânze brodate
Fluturând pavilion străin
Piraţi corsari
Epave plutitoare
Robin al Mărilor
Purtând în pântecul vasului
Identitatea pierdută
A primelor iviri
Roua suferinţei
Încrâncenate supravieţuiri
Mări înspre capătul lumii
Rătăciri nesfârşite
Barbă aspră ţepoasă
Himere rătăciri
În fibra tainei zidite

En mes chairs-cornemuses
Démusiquées d'auparavant
Membrures décharpentées
Bouteille à la mer
Vibrance osseuse
Étoupée lambrissée
Patience enchevêtrée
D'écheveaux à pédales
Pendus aux entreponts
Chargés de nous garder au chaud
Entre vêpres carême
Péchés mortels   fonds baptismaux
Frelatés   distillés
Cheval de mer débridé
Brise-lames   ventre creux
Escale   corne de brume
Partance désancrage
Épissure épicentre épithète
Naufrage à renflouer

În simțurile mele cimpoaie
Demult golite de cântări
Mişcări dezarticulate
Sticlă zvârlită în mare
Tremurul oaselor
Ecouri pierdute
Răbdări amarnice
Destrămări nesfârşite
Spânzurând între punți
Fulgerul clipei
Între vecernii postul paştelui
Păcate mortale cristelnițe
Falsificate distilate
Cal de mare aiurea
Diguri burtă goală
Escală tărâm de ceață
Pornire ridicare a ancorei
Matisare epicentru cpitet
Naufragiu despotmolit

Le soleil continue de luire
Pour tout le monde
Malheureusement pas au même prix
Le trident s'est sabordé
La parlure est d'outre-mer
Le pouvoir a rejoint l'hiver
Sur une plage de Miami
Sentant la sueur préfabriquée
L'huile de coco distillée
La québécitude bâtarde

Soarele continuă să lumineze
Lumea aceasta a noastră
Din păcate locuri umbrite
Tridendul aruncat peste bord
Spunerea de peste mări e venită
Puterea de-a pururi logodnă cu iarna
Pe o plajă Miami
Miasme duhnind
A ulei de cocos distilat
Pentru un Quebec bastard

Il faudra réapprendre à se reconnaître
De loin s'en faut
Comme dans l'ailleurs de soi
Il faudra se toucher
Entre la parole et la voix
Ne fût-ce que du bout des doigts
Entre la flèche et le carquois
La main haute sous le jupon
De tout se dire
De tout se faire
De tout se voir
De tout se voir   faire   dire
Les cheveux en bataille
Comme le lendemain de frimassure
Le visage rougi par le désir
Ressoudu des orteils croches
Des pommiers de l'enfance
Les pépins de l'audace à fleur de peau.

Va trebui să reânvăţăm să ne recunoaştem
Mai e mult până acolo
Ca în străinătăţile sinelui
Va trebui să ne atingem
Între spunere şi glas
Măcar cu vârful degetelor
Între săgeată şi tolbă
Mâna urcă sub poala
A toate spuselor
A toate făcutelor
A toate văzutelor
A toate văzutelor   făcutelor   spuselor
Părul răvăşit
Ca după chiciură
Chipul se aprinde de dorinţă
Până în vârful picioarelor
Cu merii copilăriei
Sâmburii îndrăznelii înfiorate.

On se rejoint
Dans l'immobilité de l'aube
Marchant l'un vers l'autre
Sans présent sans passé
Territoire vierge
De nos débauches à venir
Tu m'essouches me transplantes
M'écorces m'enracines
D'obel en petit lait
Bourgeonnant de dormance incendiée
Paysage choisi de nos va-et-vient
Ni passeport   ni droit de passage
D'aînesse ou de passe
Pour fouler ton sol
Tu fais de ton pays le mien
Nous respirons le même air
Les doigts du vent nous reconnaissent
Ses nuages ne nous seront jamais étrangers
Tu me paysages   je te choisis
Le pays est nommé…

Înlănțuiți
În nemişcarea zorilor
Pășind unul spre celălalt
Fără prezent   fără trecut
Tărâm virgin
Al iubirilor încă nevenite
Mă răvăşeşti mă tulburi
Văpaia ta mă trece
Un semn impalpabil
Înmugurind în sine întors
Peisaj ales du-te-vino
Nici paşaport   nici taxă de trecere
De prim-născut sau de circulație
Pentru a-ți călca țărâna
Faci din țara ta țara mea
Respirăm acelaşi aer
Degetele vântului ne recunosc
Norii săi nu ne vor fi niciodată străini
Mă descrii   te aleg
Țara e numită…

Planer haut
Jusqu'à ne plus voir terre
Replanter l'hiver
En d'australes longévités
Repartir droit devant
À la poursuite des océans
Se laisser revenir au monde
Caviar dévalué
Chargé de repeupler les mers
De toutes les terres
De toutes les lunes
Les planètes   les îles
Les ventres d'errance
Recrever ses eaux à la lumière
Ouvrir ses yeux de poisson
Sur une plage de Miguasha
Fossiliser la dérivance
Habiter le voyage
Qu'on avait pris pour la vie
Entre le naufrage et l'écorchis…

Să pluteşti în înalt
Până nu se mai vede pământul
Să replantezi iarna
În longevităţi australe
Să pleci din nou drept înainte
Pe urma oceanelor
Să te laşi adăpostit de ultima balenă
Să te strecori prin culcuşul morunilor
Să te laşi străpuns din cap până-n picioare
Scos   sărat   prăjit
Să te laşi întors în lume
Caviar fără valoare
Însărcinat să repopulezi mările
De pe toate pământurile
De pe toate lumile
Planetele   insulele
Abisurile rătăcirii
Apele în lumină
Să deschizi ochii de peşte
Pe o plajă din Miguasha
Să fosilizezi devierea
Să călătoreşti răpit de un val
În această îndoială reală
Între naufragiu şi jupuire

Tant de lieux-dits
Visités effleurés
De villes annoncées
De ports accostés
De brume domestiquée
De ciels ensemencés
De mers décultivées
De bourgs de hameaux
De communes de cantons
De ramendage de boîtes à malle
D'enveloppes jaunies de colis piégés
D'étambots   de piquois dédouanés
De leur premier métier
De scieurs de long   de coupeurs de têtes
De varlopage à franc   de coquillages
D'encornets aboités   de turlutes dissidentes
De nomades de sédentaires
De vagabonds sans lieu ni feu
D'itinérance aux alentours
Par où fuir ailleurs
Autre part
Lieu perdu   vue sur la mer
Si peu d'été pour si tant d'hiver.

Atâtea locuri anume
Vizitate   atinse în treacăt
Atâtea oraşe anunţate
Porturi acostate
Ceaţă domesticită
Ceruri însămânţate
Mări secătuite
Oraşe cătune
Comune   cantoane
De reparat cutii poştale
Plicuri îngălbenite de colete capcană
Etambouri   harpoane scoase din vamă
De primul meşteşug
Tăietori de lemne în lung   tăietori de capcane
De dat la rindea lateral   de cochilii
De cornute lătrate   de fluiere disidente
Nomazi   sedentari
Vagabonzi fără loc sau foc
Vagabondare prin împrejurimi
Pe unde să fugi aiurea
În altă parte
Loc pierdut   vedere spre mare
Atât de puţină vară pentru atât de lungă iarnă

Tant de pays visités
De sillons creusés sur le front
De la carte du monde
Par un gosseur de talent
Le diamant de son âme
Confié à un gros-bec ami
Orfèvre à ses heures
Réchauffera le nid
D'un geai bleu allié
Le bassin soude la dormance
Le pays s'insinue entre la chair et l'os
De ses désirs féroces
Les balises ont fondu à tout jamais
Un corbeau se gave de cristallin
En survolant la route des âges...

Atâtea ţări vizitate
Atâtea riduri săpate pe fruntea
Hărţii lumii
De un cioplitor cu har
Diamantul sufletului său
Încredinţat unei vrăbii prietene
Bijutier în ceasuri de răgaz
Va reâncălzi cuibul
Unei gaiţe albastre aliate
Bazinul leagă somnuri
Se insinuează ţara între carnea şi osul
Dorinţelor sale feroce
Balizele s-au scufundat pentru totdeauna
Un corb se înfruptă din cristalin
Survolând calea vârstelor...

(Lieux-dits)

Bel oiseau de paradis
Tu parles de migrations prochaines
Du haut de ta branche
Le bec ouvert
À l'éphémère
Chantant le ciel
Aux mystères profonds
Te nourrissant de vers
Que tu prends pour des dons…

Frumoasă pasăre a paradisului
Tu vorbeşti de migraţiile viitoare
Din înălţimea aripii tale
Pliscul deschis
Spre efemer
Cântând cerul
Cu profunde mistere
Hrănindu-te cu versuri
Luate pentru daruri…

Ancres

Les ancres ne meurent pas
D'avoir touché le fond
D'avoir sonné le glas
D'un brick ou d'un galion

Les ancres ne meurent pas
D'essuyer les marées
Contre vents et trépas
Par trop accoutumées

Les ancres ne meurent pas
D'ouvrir tout grand les bras
De mer en firmament

Pour toucher de leurs doigts
Le tréfonds, l'au-delà
L'espace d'un instant…

Ancore

Ancorele nu mor
De-atâta atins afundul
De-atâta sunat glasul
Lovite de-un bric sau de-un galion

Ancorele nu mor
De-atâta şters mareele
Prea puţin deprinse
Contra vânturilor şi morţii

Ancorele nu mor
De deschis marele drum
Dintre mare şi cer
Pentru a atinge cu degetele lor
Străfundurile, dincolo
De spaţiul unei clipe…

L'enfant de l'eau

À trop regarder la mer
Ses yeux en ont bu la couleur
S'il marche par-devant derrière
C'est qu'il ne connaît point la peur

À trop dévisager le temps
Son regard a rejoint l'espace
S'il sait tenir langage au vent
C'est qu'il marche sur ses traces

À trop boire la lumière
Il a rejoint l'univers
D'un sourire de galaxie

À trop jauger le silence
Il est entré dans la danse
Son âme a rejoint l'infini…

Copilul apei

De-atâta privit marea
Ochii i-au băut culoarea
De trece prin față spate
E ca frica și n-o poartă

De-atâta scurtat timpul
Privirea-mplinește locul
De-știe a vorbi cu vântul
Știe-a merge în tot locul

De-atâta băut lumină
A strâns lumea toată
Din surâs de galaxie
De-atât măsurat tăcerea
A pătruns în dans deodată
Duhu-i strâns-a infinitul…

D'enfance et d'au-delà

L'amour
Se
Dessine
Comme
Un
Oiseau
Fier
L'aile
Qu'on
Devine
Rame
Vers
La
Mer…

Din copilărie şi de aiurea

Dragostea
Se
Desenează
Ca
O
Pasăre
Mândră
Aripa
Care
Se ghiceşte
Vâsleşte
Spre
Mare…

Sauras-tu jamais
Que je te porte en moi
Que le moindre soubresaut
Hâte la dérive des continents
Mer de culture murée en mes chairs
Poème fossilisé, grotte mystérieuse
Sauras-tu jamais que tu m'habites
Du fondement à l'échancrure
Que je ne parle que par ta voix
Que je t'emprunte jusqu'à ton souffle
Comme pour mieux boire à ta bouche

Sais-tu encore que c'est toi
Qui me redonne à boire
Entre rêche et goulot
Océan d'émotion me forçant
À te redire inlassablement…

Quelquefois encore en décembre
Le pays sort de son lit
L'horizon s'étire
Le ciel bâille, l'écho se dérhume
La sève se met en route
Dans l'œil d'un érable émondé
Et le mot cherche à s'écrire
Entre les lignes du pays à faire
Souverain, quêteux d'identité
Endimanché de dignité…

Quelquefois en décembre
La mer est frasilleuse
Comme un grand lit défait
Ouvert en son milieu…
Quelquefois en décembre
L'histoire s'écrit à l'encre blanche

Dans l'antichambre d'un salon
Porteur d'espérance…

Quelquefois en décembre
Le pays nous rejoint
Dépassé le silence des mots
Pour nous prendre à témoin
De l'écho…

Quelquefois en décembre
La mer est frasilleuse
Comme un grand lit défait
Ouvert en son milieu…

Sti-vei tu vreodată
Că te port în mine
Că cea mai mică tresărire
Grăbeşte deriva continentelor
Mare de cultură zidită-n cărnurile mele
Poem fosilizat, grotă misterioasă
Şti-vei tu vreodată că eşti în mine
Din străfundul micului golf
Că nu vorbesc decât prin glasul tău
Că te-mprumut până-n suflarea ta
Ca pentru a-ţi bea gura…

Şi mai şti că tu
Mă faci să reâncep a bea
Între aspru şi gâtul sticlei
Ocean de emoţii mă forţează
Să-ţi mărturisesc neobosit…
Câteodată încă în decembrie
Ţara iese din patul ei
Orizontul se-ntinde
Cerul se-ntredeschide, cerul îşi drege glasul

77

Seva curge pe drum
În ochiul unui arțar tulburat
Şi cuvântul caută să se scrie
Între liniile unei țări
Suverane căutătoare de identitate
Sfințită de demnitate ca o duminică...

Câteodată în decembrie
Marea este răvăşită
Ca un pat mare desfăcut
Deschis în mijloc...
Câteodată în decembrie
Istoria se scrie cu cerneală albă
În antecamera unui salon
Purtător de speranță...

Câteodată în decembrie
Țara ne bucură
Depăşită de linişte şi cuvinte
Ca să ne ia drept martori
Ai ecoului...

Câteodată în decembrie
Marea este răvăşită
Ca un pat mare desfăcut
Deschis în mijloc...

Cœur sur ses lèvres

Je me suis levé ce matin
Avec du vent dans les oreilles
Avec du sel sur les paupières
Avec le cœur au bord des lèvres
Comme si j'avais bu la mer
D'une seule et même gorgée
À m'en soûler, à m'enivrer
À divaguer, à dériver

Je me suis levé ce matin
Le cœur à tout recommencer
À croire à diable et à Dieu
À l'amour, à l'espoir aussi
Avec une faim d'au-delà
Qui m'emporte au-dedans de moi
Comme la vague qui charrie
Le souffle, le vent et la vie

Je me suis levé ce matin
Avec le besoin d'être bien
D'oublier et de pardonner
D'aimer et de tendre la main
Et j'ai repris l'ancien chemin
Qui mène tout droit au bonheur
En me riant du jour, de l'heure
Sachant l'éternité d'instinct…

Inima pe buze

M-am trezit azi dimineață
Cu vânt în urechi
Cu sare pe pleoape
Cu inima la marginea buzelor

79

Ca şi când aş fi băut marea
Într-o duşcă
Ca să n-ameţesc, să mă-mbăt
Să deviez, să merg în derivă

M-am trezit azi dimineaţă
Cu dorinţa de-a lua totul de la început
Să cred în diavol şi în Dumnezeu
Să cred în dragoste şi în speranţă
Cu o foame de dincolo
Care mă poartă înlăuntrul meu
Ca valul care ia cu sine
Suflul, vântul şi viaţa

M-am trezit azi dimineaţă
Cu nevoia de-a fi bine
De-a uita şi de-a ierta
De-a iubi şi de-a-ntinde mâna
Şi-am reluat vechiul drum
Care duce drept spre fericire
Făcând haz de ziuă, de oră
Ştiind eternitatea instinctului…

Les mots qu'on oublie

Jamais je ne t'ai dit je t'aime
Les mots c'est moins fort que l'envie
Jamais je ne t'ai dit tu es mienne
La mort c'est plus fort que la vie
C'est dans tes yeux que je veux lire
Le jour d'aimer, le soir de dire
Comme en un livre grand ouvert
À la page de nos hivers
Comme en un livre à écrire
À l'aurore de nos désirs
C'est dans tes yeux que je veux lire
Le jour d'aimer, le soir de dire…

C'est à ta bouche que je veux boire
Comme à la source de l'espoir
La vérité commme l'eau vive
Par qui toute saison arrive
La vérité comme le givre
Par qui tout printemps nous délivre
C'est à ta bouche que je veux boire
Comme à la source de l'espoir…

Cuvintele care se uită

Niciodată nu ți-am spus că te iubesc
Cuvintele-s mai slabe ca dorința
Niciodată nu ți-am spus ești a mea
Moartea este mai tare ca viața

În ochii tăi vreau să citesc
Ziua de dragoste, seara de zicere
Ca într-o carte mare deschisă
La pagina iernilor noastre

Ca într-o carte în care scrie
Aurora dorințelor noastre
În ochii tăi vreau să citesc
Ziua de dragoste, seara de zicere

Gura ta vreau s-o beau
Ca pe izvorul speranței
Adevărul ca apa vie
Prin care vin timpurile
Adevărul precum chiciura
Prin care ies toate primăverile
Gura ta vreau s-o beau
Ca pe izvorul speranței...

Le temps me presse
Me rit au nez
Me déjoue
J'ai du mal
À me reconnaître
Tout à fait
Le temps me fait défaut
Peur
Et pitance
Se rient de mes joueries
Mes coups du sort
Mes ambivalences
Sans manigance
Ni calcul
Pourtant
Le temps m'échoue
Navire déserté
À quelques berges de l'éternité…

Timpul m-apasă
Îmi râde în nas
Mă dejoacă
Mi-e rău
Să mă recunosc
În întregime
Timpul îmi lipseşte
Şi taină
Loviturile de soartă
Ambivalenţe
Fără tertipuri
Nici calcul
Totuşi
Timpul mă eşuează
Vapor părăsit
La câteva maluri abrupte de eternitate...

(Poèmes)

MEMBRE DE SCABRINI MEDIA

Québec, Canada
2002

Ville de Montréal

**Feuillet
de circulation**

À rendre le

06.03.375-8 (05-93)

RELIURE LEDUC INC.
450 460 2105